Kicia Kocia lubi spotykać się z Packiem. Zawsze jest im wesoło.
Dzisiaj grają w domino.
Tata przynosi dzieciom jabłka.
– Mam coś lepszego – szepcze Kicia Kocia do ucha Packowi
i wychodzi do kuchni.

Kicia Kocia wyciąga z szafki cukierki i częstuje nimi przyjaciela. Pacek jest zachwycony. On też ma niespodziankę. Przyniósł ze sobą wielką paczkę kolorowych żelków.

– Chcesz? – pyta z pełną buzią.
– Pewnie – odpowiada Kicia Kocia, chociaż jest jej już trochę niedobrze. Właśnie zjadła kolejnego cukierka.

Nagle Pacek łapie się za policzek i zaczyna płakać.
– Boli mnie ząb – jęczy. – Chcę do mamy...

Kicia Kocia próbuje pocieszyć przyjaciela, ale ból jest coraz silniejszy. Pacek nie może się dłużej bawić. Musi wracać do domu.

Mama woła na obiad.

Kicia Kocia robi smutną minę.
Chyba nic nie przełknie.
Bardzo boli ją brzuszek.
Mama się martwi.

Kicia Kocia czuje się coraz gorzej.
– Niedobrze mi – mówi cicho.
– Chce ci się wymiotować? – pyta mama.
Kicia Kocia tylko kiwa głową. Ach, jakie to nieprzyjemne.

Do kuchni wchodzi tata.

– Chyba wiem, jaka jest przyczyna choroby – mówi.

Znalazł cały stos papierków po cukierkach i batonikach.

Teraz już oboje wiedzą, że od słodyczy psują się zęby i można się rozchorować.

– Trzeba jeść dużo witamin, wtedy się rośnie - mówi Kicia Kocia.

Kicia Kocia wpada na pomysł.
– Zróbmy witaminowe przyjęcie! Zaprosimy Adelkę i Julianka.
Packowi pomysł bardzo się podoba.

Dzieci układają na talerzu warzywa:

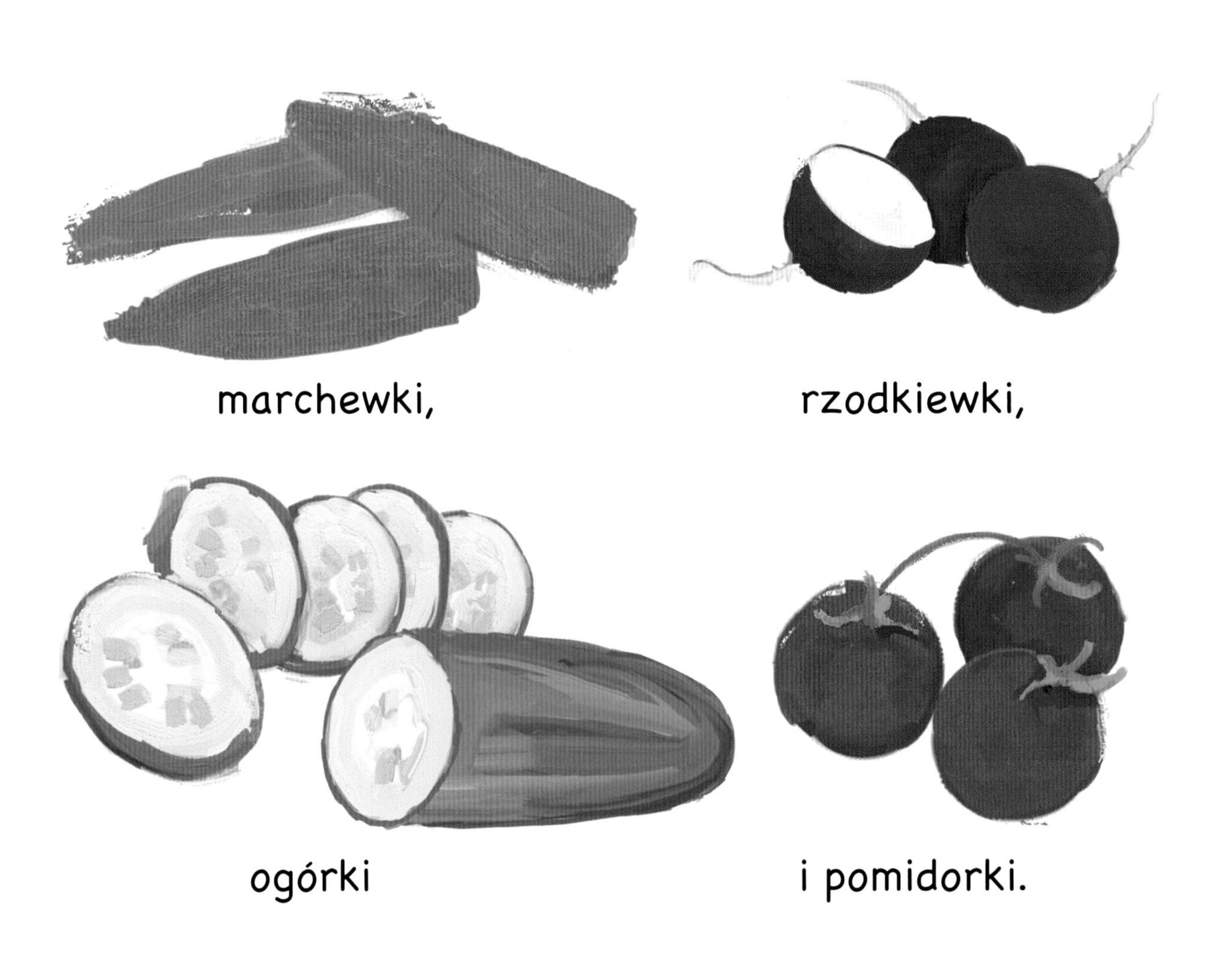

marchewki,

rzodkiewki,

ogórki

i pomidorki.

Na drugim talerzu podają owoce:

truskawki,

czereśnie,

śliwki

i banany.

PŁATKI
ORZECHY
MIÓD

Tata proponuje, aby upiec owsiane ciasteczka.
Przygotowuje ciasto z płatków owsianych, jajek, miodu
i drobno posiekanych bakalii.
Kicia Kocia i Pacek formują z masy kuleczki.
Po chwili ciastka są już w piekarniku.

– Teraz koktajl – mówi Pacek.
Zrobienie koktajlu zajmuje chwilkę. Wystarczy do miksera nalać odrobinę mleka, wrzucić owoce i zmiksować. Zamiast mleka można dodać jogurt lub wodę. Pycha!

Na koniec dzieci ustawiają wszystko na stole.
Mama nalewa do dzbanków kompot, który wczoraj ugotowała.

Gotowe!

Przychodzą Adelka i Julianek. Dzieci siadają do stołu.
– Jaki wyborny pomidor! – Adelka udaje, że jest wielką damą i zajada się pomidorem.
– Marchewka też jest wyborna. – Kicia Kocia również udaje, że jest wielką damą i chrupie marchewkę.